de la A a la Z

la lectura

Adolfo Alonso Ares

Ilustrado por Luisa Vera

de la A a la Z

la lectura

Adolfo Alonso Ares
Ilustrado por Luisa Vera

everest

A DE AUTOR

El autor de una novela
De un poema o un ensayo
Es quien escribió los textos
Partiendo del folio blanco.
La creación ha tenido
Un autor que la ha firmado
Y yo recuerdo a Berceo
Primer poeta nombrado,
Pero también a San Juan
A Manrique a Garcilaso
Al Arcipreste de Hita
Y a Pedro Abad, que copiando
El poema del Mío Cid
Dejó su nombre anotado.

POEMA DEL MÍO CID DE ?

El autor de una obra literaria es su creador: narrador si es en prosa y poeta si es en verso. En la primera literatura de la Edad Media, los autores no firmaban los textos y, por lo tanto, eran obras anónimas o de autor desconocido. Es claro ejemplo el *Cantar de Mío Cid*, también conocido como *Poema de Mío Cid*. El primer autor castellano que dejó firmadas sus obras fue Gonzalo de Berceo.

B DE BIBLIOTECA

Todos esos escritores
Y muchos más que me callo
Están en la Biblioteca
Nacional, representando
Un tiempo, lejano ya
Que llamaremos pasado.
Que allí se escribieron libros
De pícaros y de hidalgos,
De damas, de caballeros,
De monjes y de ermitaños.
Hay una biblia muy vieja
Y muchos libros de salmos
Y una gran enciclopedia
Y mil obras de teatro.

Se trata de un local que reúne grandes colecciones de obras literarias. Las bibliotecas nacionales de los diferentes países guardan una considerable cantidad de libros, manuscritos y documentos, donde expertos e investigadores disponen de ellos, para leer, estudiar y analizar los contenidos.

C DE CULTURA

Para saber muchas cosas
Hemos de leer despacio
Y entender cuanto leemos
Consultando el diccionario…
Porque la cultura forja
El entendimiento humano
Y se nutre con lecturas
De novelas y de ensayos,
Con historia y con leyendas,
Con poemas y relatos.

La cultura tiene que ver con el desarrollo intelectual de las personas de un determinado lugar y con la capacidad de los pueblos y de sus habitantes, para evolucionar y así diferenciarse de otras localizaciones. El arte, la arquitectura o la literatura han sido la base, a lo largo de los siglos, de la cultura del hombre.

D DE DIVERSIÓN

La lectura es diversión
Y por eso cuando hallo
Un buen libro que leer,
Lo leo y después ensayo
A recordar lo leído
E incluso a representarlo
Si es de teatro el volumen,
Y si es de versos, me callo,
Que en silencio los poemas
Son más intensos, y cuando
El libro es de geografía,
De historia o algún ensayo
De humanidades o ciencias,
Procuro que quede algo
De su esencia en mi memoria,
Porque quiero recordarlo.

La lectura es una verdadera diversión, porque nos ofrece momentos intensos y felices. Quien lee, aprende a soñar, a imaginar y a sentir con más intensidad todo cuanto le rodea.

Por eso los editores
Siguen haciendo el trabajo,
Siguen editando libros,
Siguen corrigiendo párrafos…

Y así publican las obras
De autores que aquí citamos.
Y aunque el mundo digital
Hoy edita en su formato,
Son dos modos muy distintos
Que han de ser complementarios.

La edición es la puesta en marcha de un libro. Los editores se establecen, a veces, en grandes empresas llamadas editoriales donde se imprime, publica, distribuye e incluso se presenta y publicita una obra literaria, con el fin de que llegue a los lectores de cualquier rincón del mundo.

MI NUEVA NOVELA
MI NOVELA
OTRA NOVELA
La novela
Mi nueva novela

Ensayo

Novela

Teatro

Poesía

F DE FORMA

Tienen los textos la forma
Que diferencia los rasgos.
Hay géneros diferentes
Que yo intentaré enunciaros:
La poesía el primero
Por delicadeza y trazo,
Por su rima y por su métrica,
Por su textura y cuidado.
Después novelas y cuentos,
Que no son sino relatos,
Invención de sus autores.
Luego dejaré el teatro
Y el ensayo, que revela
Estudios o informes amplios.
Todo esto, solamente,
Son géneros literarios.

La forma nos ayuda a distinguir cada uno de los géneros literario. Como buenos lectores, hemos de aprender a diferenciarlos todos y conocerlos para saber y entender sus peculiaridades. En esta página tienes verso y prosa que siendo distintos, se complementan.

G DE GUTTENBERG

Guttenberg fue pionero,
Es la imprenta su legado.
Él convirtió el mundo viejo
En un mundo renovado,
Y así los libros pudieron
Editarse. Fue un regalo
Para que se conociesen
Aquellos libros de antaño.
La imprenta fue el gran invento
Con el que se publicaron
Cientos de miles de libros
Que hoy nosotros disfrutamos.

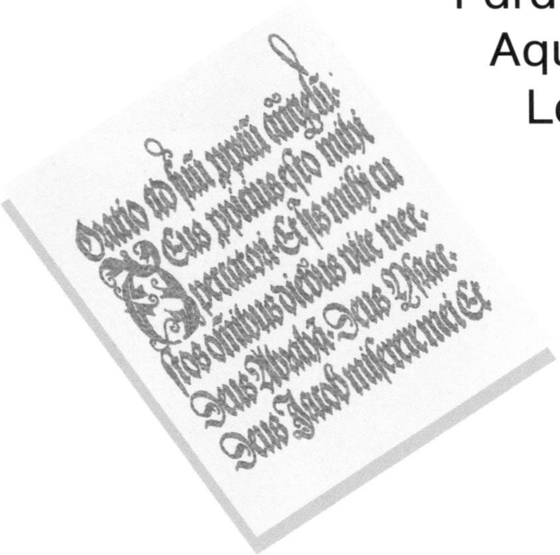

Alemán. Fue el inventor de la impresión y de la tipografía. A partir de su revolucionario descubrimiento, pudieron editarse las obras literarias con más facilidad y contribuir a su mejor divulgación.

Oratio ad suũ ppriũ angelũ.
Deus ppicius esto mihi
peccatori. Et sis mihi cu
stos omnibus diebus vite mee.
Deus Abrahã. Deus Ysaac.
Deus Jacob miserere mei Et

. Si nos fijamos en
tos científicos del si
zamos la teoría de l
ejemplo, sólo desde
temático poco podre
piensas que la sup
nació de masa inor
que tenemos 5.000
que necesitamos par

H DE HANS CHRISTIAN ANDERSEN

Andersen era danés
Y su pluma fue el milagro
Que nos indujo a leer
En sus famosos relatos.
Hans es Juan en nuestro idioma,
Autor que nos ha legado
Los cuentos irrepetibles
De príncipes y de sabios.
¿Quién no sabe las historias
De *Pulgarcito* y *El gato*
Con botas, *Caperucita*
Y otros cuentos legendarios
Que anotaré en los renglones
En prosa, que van debajo?

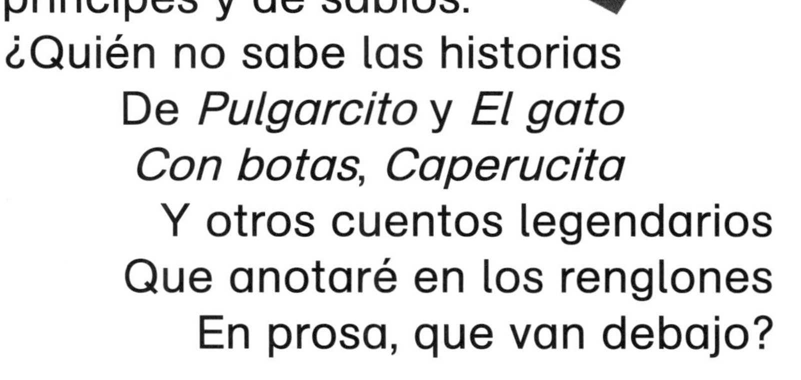

Nació en Dinamarca en 1805. Sus narraciones están llenas de magia e imaginación y los personajes que en ellas aparecen han sido representados e imaginados por niños y adultos de todo el mundo. Entre sus títulos más conocidos están: *El soldadito de plomo*, *La sirenita* o *El patito feo*. Charles Perrault también recopiló otros cuentos como *Pulgarcito*, *El gato con botas* y *Caperucita*.

Incunables son los libros
Que nos parecen extraños
Porque su piel es de cuero,
Viejo cuero engalanado,

Con títulos muy solemnes,
Letras regias y grabados
Escritas cuando la imprenta
Era un sueño aún no soñado.

Se conocen como incunables los libros editados desde la invención de la imprenta hasta el siglo XVI. Se denominan así, porque se considera que esos primeros libros nacían de la cuna de la imprenta. Pero los especialistas han unificado el concepto para denominar incunables a todos los libros aparecidos antes del año 1501.

J DE JUAN RAMÓN JIMÉNEZ

Porque Juan Ramón Jiménez
Fue el autor del libro mágico
Que representó a Platero,
Un pollino, burro o asno,
Que de su solemnidad
Nació un libro que ha guardado
La reflexión de la vida,
Intimidad y milagro.
Fue Juan Ramón gran poeta
Del modernismo, buscadlo
En alguna enciclopedia.
Escribió poemas cálidos,
Premio Nobel, periodista
Y autor de cientos de ensayos.

Poeta español nacido en Moguer (Huelva) en 1881. Murió en San Juan de Puerto Rico en1958. Tuvo gran influencia sobre los autores de la generación siguiente en España e Hispanoamérica. Autor de esa obra tan íntima y emblemática en la que uno de sus protagonistas es un pequeño burro llamado Platero.

K DE KIOSKO

Es la K para el poema
Del kiosco engalanado
Con libros para las niñas,
Para niños disfrazados
De don Juan, de Dulcinea
De un juglar y de un soldado
Que tiene cinco galones
Azules y colorados.
El kiosco de la plaza
Era redondo y cuadrado.

Pequeña construcción que suele haber en las calles y en los jardines de las ciudades, para vender golosinas, periódicos y, en muchos casos, cuentos, tebeos y otras primeras lecturas para los niños.

MALAS
NOTICIAS
Mucha
Moda
PIM PAM PUM
Nooo!
Boom!
Viaje al centro de la Tierra
MUNDO
PERRUNO

FAUNA

100 consejos para esquivar al lobo

¿Quién teme al LOBO FEROZ?

NOVEDADES

BOISILLO

L DE LIBRERO

Con la L de librero
Dejo un libro colocado
Encima del mostrador.
Me lo vende un hombre sabio
Que ha leído mil novelas
Y cien obras de teatro
Y los poemas de Hierro
Y las novelas de Sábato
Y guías de las ciudades
Que dan al Mediterráneo.
En la vieja librería
Los libros parecen pájaros
Pues son de muchos colores,
Unos gordos y otros flacos.

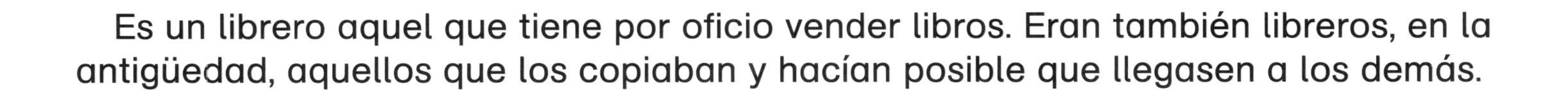

Es un librero aquel que tiene por oficio vender libros. Eran también libreros, en la antigüedad, aquellos que los copiaban y hacían posible que llegasen a los demás.

M DE MOSQUETERO

Eran los tres mosqueteros
Tres personajes hidalgos
Que dejó Alejandro Dumas
Que era el padre de Alejandro
Y en las novelas históricas
Fue un autor muy destacado...
Van armados con mosquetes,
Que un mosquetero es soldado
Y está al servicio del rey
Porque es valiente y honrado.

La novela de Alejandro Dumas (padre) titulada *Los tres mosqueteros*, relata las aventuras de D'Artagnan cuando deseaba convertirse en mosquetero, soldado armado con un mosquete que, en muchos casos, pertenecía a la guardia personal del rey. Pese a lo que destaca este personaje, no es de los que dan título a la obra, puesto que los tres a los que se refiere son: Athos, Porthos y Aramis. Todos ellos servían al rey Luis XIII.

Los tres mosqueteros
Alejandro Dumas

N DE NOVELA

Las novelas más antiguas
Son libros que ya repaso
Desde este tiempo de ahora
Hasta los remotos años.
Pues antes que don Quijote
Y que su escudero Sancho
Vagaran por los caminos,
Hubo libros muy nombrados
Como el de *La Celestina*
Y aquel de *Tirante el Blanco*
Y el del *Amadís de Gaula*
O *La Arcadia* de Sannázaro,
La Diana enamorada
De Gil Polo, el valenciano.

También *Guzmán de Alfarache*
Y la novela de *Lázaro.*
Las *Novelas ejemplares*
Y *El Buscón* llamado Pablos.
Otros novelistas fueron:
Clarín, Unamuno, Sábato,
Baroja, Julio Cortázar,
Carlos Fuentes, Roa Bastos,
Lezama Lima, Delibes,
Cela, Rulfo y otros tantos.

La novela es una obra literaria escrita en prosa y de extensión considerable. Pueden ser relatos fingidos, es decir, nacidos de la imaginación del autor, o inspirados en hechos reales que han sido modificados, o hechos históricos que han sido interpretados de modo personal.

Ñ DE Ñ EN LITERATURA

En las obras que escribieron
Los autores castellanos,
Aparecen con la Ñ
Libros que aquí recordamos:
Las hazañas del Quijote,
Los Baños de Argel, ¡qué baños!
Y aquel *Celoso extremeño*
Carrizales, que era hidalgo
Y *El casamiento engañoso*
Con la Ñ en el engaño.
Quevedo dejó en *Los sueños*
Su Ñ y también su trazo.
El Comendador de Ocaña
Don Peribáñez, que acaso
Leyera *La vida es sueño*

Desde un sueño solitario
De Calderón. Esa Ñ

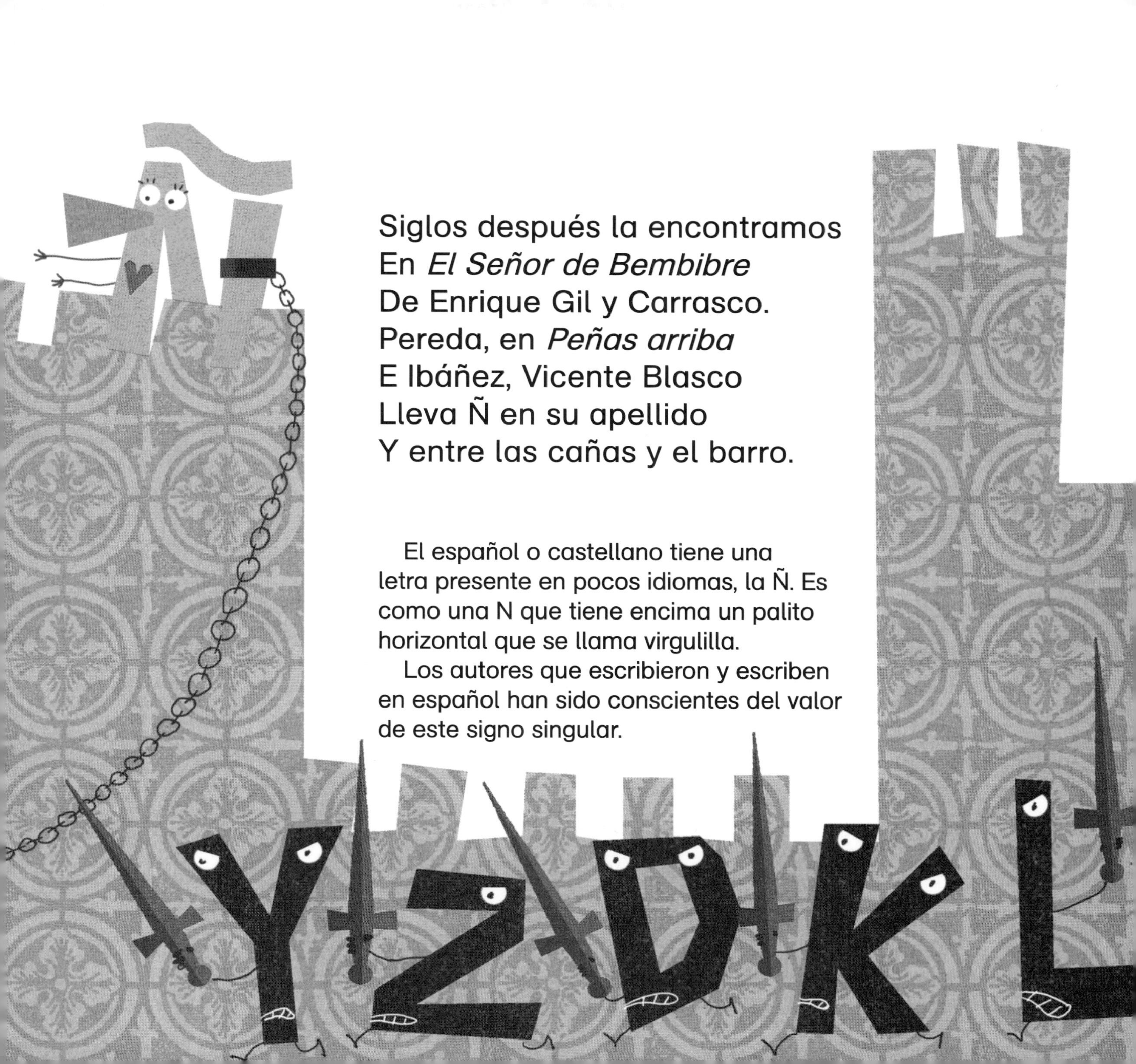

Siglos después la encontramos
En *El Señor de Bembibre*
De Enrique Gil y Carrasco.
Pereda, en *Peñas arriba*
E Ibáñez, Vicente Blasco
Lleva Ñ en su apellido
Y entre las cañas y el barro.

El español o castellano tiene una letra presente en pocos idiomas, la Ñ. Es como una N que tiene encima un palito horizontal que se llama virgulilla.

Los autores que escribieron y escriben en español han sido conscientes del valor de este signo singular.

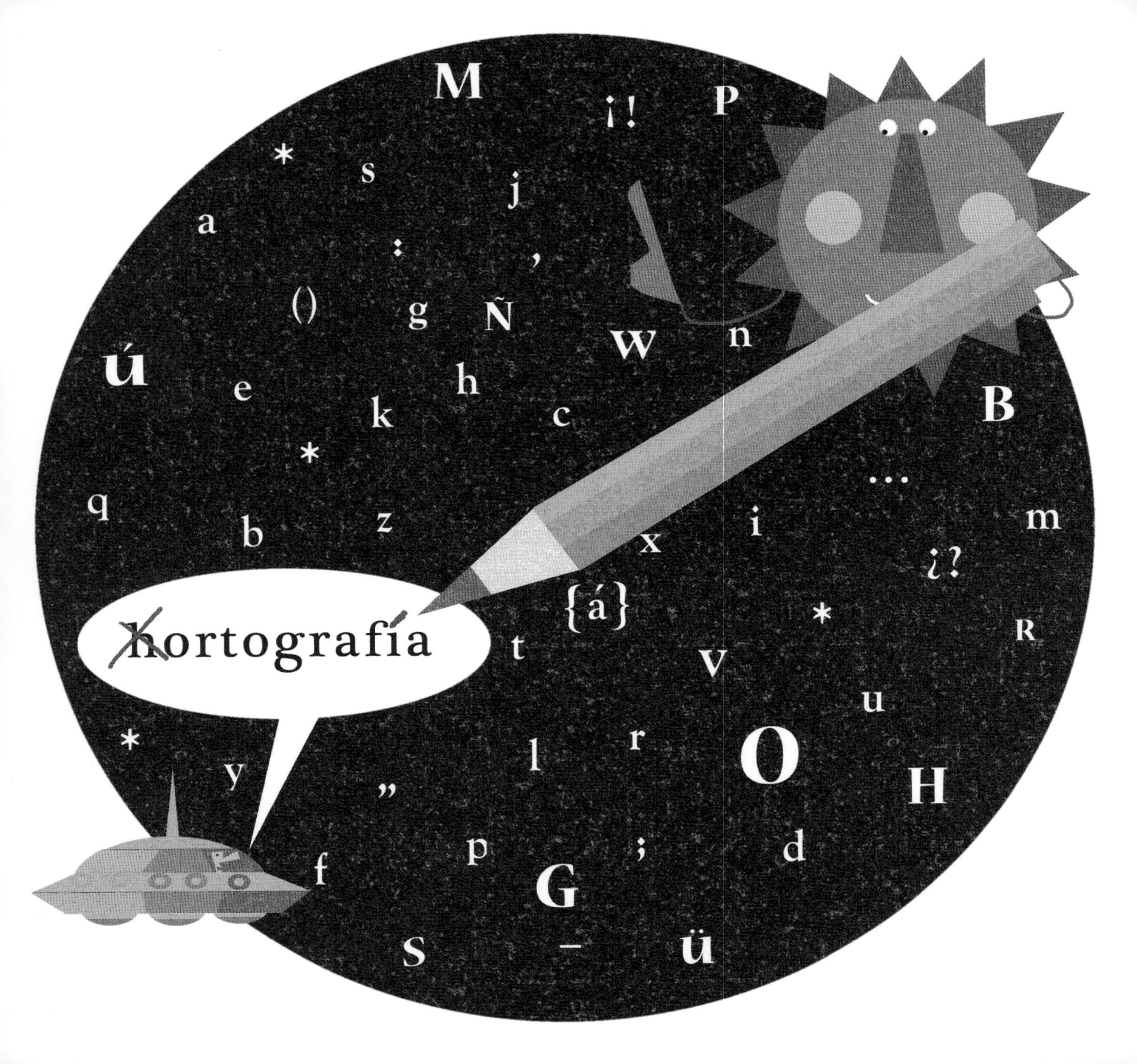
hortografía

O de ORTOGRAFÍA

Con la O de ortografía
Os he de hacer un regalo
Porque la O se parece
A este mundo en que habitamos.
Es redonda como el sol,
Como la luna y los astros.
Hay que saber escribir
Correctamente un vocablo
Sin poner las bes con uves
Ni las ges con jotas, cuando
Anotamos las palabras
Del idioma castellano.
Poniendo también acentos,
Puntos, comas y otros rasgos
Que denotan que sabemos
Escribir bien lo que hablamos.

Para dejar una definición clásica y correcta de lo que es ortografía, diremos que es el arte de escribir correctamente las palabras de una lengua. Hemos escuchado muchas veces que la ortografía española es de las más sencillas, ya que las palabras se pronuncian como se escriben y en muchas otras lenguas no se da esa circunstancia.

P de poesía

Estoy escribiendo un libro
De poemas, ya hace rato
Y voy por aquí insistiendo,
Poco a poco, voy dejando
Estos versos octosílabos
Con rima y ritmo, miradlos.
Fueron poetas famosos
Del idioma castellano,
Aparte de los juglares,
Que nadie sabe nombrarlos,
Jorge Manrique, Fray Luis,
Juan, Teresa y Garcilaso.
Siglos más tarde, Quevedo
Y Rosalía de Castro,
Contemporánea a Espronceda
Y a Bécquer, después Machado.

Quiero recordar también
En este breve alegato
A Lorca, Guillén, Alberti,
Hernández, Cernuda y Dámaso
A Crémer a Cardenal
A Benedetti y a Octavio.

La poesía es un género literario que consiste en escribir en verso. Puede ser épica, que era el modo de relatar una historia versificada y es claro ejemplo el *Cantar de Mío Cid*, y lírica que consiste en transmitir sensaciones y sentimientos a través de los versos, que pueden tener rima, ritmo y medida o ser libres.

Q DE QUIJOTE

En un lugar de la Mancha
Don Quijote ha equivocado
Los legendarios molinos
Con gigantes muy malvados.
Las aspas que mueve el viento
Ya le han descabalgado.
Rocinante está tendido
Y Sancho Panza montado
En Rucio, su burro bueno
Contemplan lo que ha pasado
Sin entender cómo ha sido,
Pero después le han curado.
Es una de las hazañas
Que Cervantes ha dejado
Escrita para nosotros
Y colorín colorado.

Personaje por excelencia de la literatura española. Don Alonso Quijano el Bueno lleva, en la propia novela que le da vida y protagonismo, el sobrenombre de don Quijote de la Mancha. Era tan excesivo y exagerado que idealizaba en mundo. Don Quijote, junto a Sancho Panza, son los grandes personajes creados por Miguel de Cervantes en su obra *Don Quijote de la Mancha*.

R DE RELATO

Recuerdo aquí las pasiones
De nuestros antepasados.
Ellos contaban historias,
Tradiciones que desgrano
En una noche de invierno
O una tarde del verano.
Tradición oral se llama
A relatar el pasado,
A narrar leyendas viejas
Frente a un brasero colmado
De carbón de encina y roble
Y velas alimentando
Ese misterio que habita
Los lugares apartados.

Un relato es una narración oral o escrita. La novela y el cuento son los más conocidos. La narración oral es la que se trasmite a través de la palabra. Los primeros literatos fueron los juglares.

S DE SHAKESPEARE

La S de su apellido
Es la S que silbamos
Es la del sol y el silencio
La de Samaniego y Safo.
Era Guillermo su nombre
Inglés de origen, su trazo
Nos dejó importantes textos
De poesía y teatro.
Otelo, *Hamlet* o el *Sueño*
De una noche de verano.
También comienzan por S,
Buscadlo en el diccionario,
Sánscrito, que es otra lengua
Sófocles, Sócrates, Sábato,
Santa Teresa, San Juan,
Santillana y Saramago.

Dramaturgo y poeta inglés (1564-1616). Sus principales obras son: *Romeo y Julieta*, donde se manifiesta el amor; *Otelo*, representa los celos; *El Mercader de Venecia*, la avaricia; *Hamlet*, la incertidumbre. Su obra ha sido traducida a todos los idiomas y ha influido en muchos autores. Su teatro sigue representándose en la actualidad.

EL REY LEAR
Hamlet
Romeo y Julieta
El Mercader de Venecia
El sueño de una noche de verano
MACBETH
La tempestad
Sonetos

T DE TEATRO

La vida representada
En un salón colorado
Lleno de ojos que no ven,
De narices sin olfato,
Con los oídos de un sordo
Y la melena de un calvo...
Cuando se abra ese telón
Saldrá corriendo un payaso
Y detrás un estudiante
Y un contrabandista enano
Y el ciempiés que estaba cojo
De los pies y de las manos.

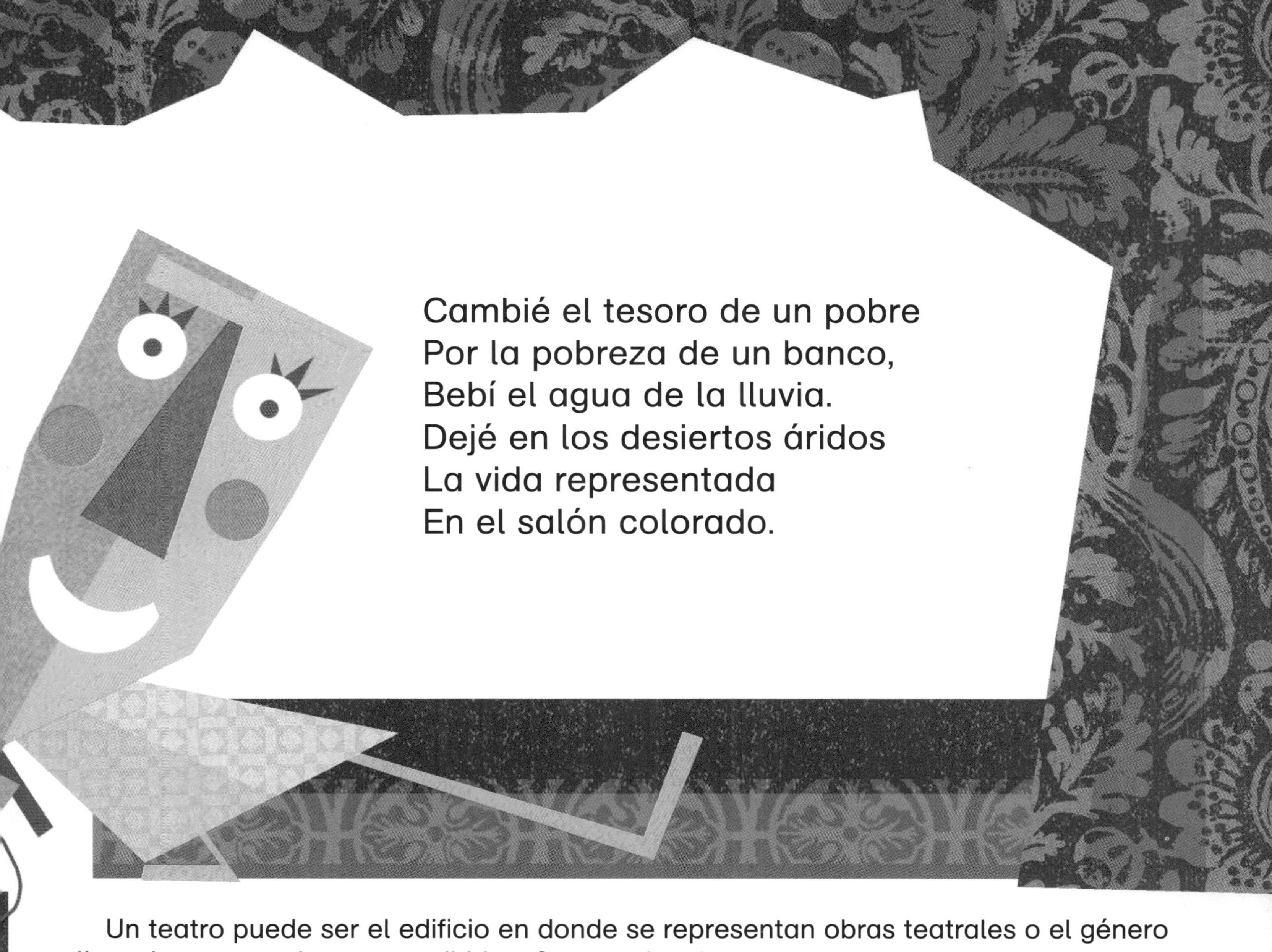

Un teatro puede ser el edificio en donde se representan obras teatrales o el género literario que consiste en escribirlas. Son muchos los autores que a lo largo de los siglos escribieron obras para ser interpretadas por actores y así, sobre todo en la Edad Media, en que había mucha gente que no sabía leer, se podía participar en el mundo literario a través de esas interpretaciones o puestas en escena.

U DE UNIVERSAL

Con la U de universal
Voy a escribir viajando
Donde los autores dejan
Sus pensamientos grabados.
Muchos autores escriben
En árabe, en polaco,
Otros escriben en chino
Y otros en italiano,
En francés, inglés y en griego
Y yo escribo en castellano.
Por eso cuando leemos
Hemos de saber que estamos
Rememorando memorias
Que esculpen ese pasado
Del que somos herederos
Porque lo hemos heredado.

Universal es algo que interesa a la generalidad de los seres humanos que habitan en la Tierra. La literatura universal es la literatura conocida por todos, la que se ha manifestado en las diferentes culturas.

V DE VERSO

Para escribir un poema
He de hacerlo con cuidado,
Cada renglón es un verso,
Cada verso es un milagro,
Una emoción, un anhelo
Que vuela como los pájaros.

Por eso la poesía
Forma parte del espacio
Que representa la vida
Y la pasión, yo os encargo
Que leáis a los poetas
Y que los leáis despacio.

Se llama verso a cada uno de los renglones de un poema. Los versos pueden contar o no, con un número determinado de sílabas y según el número que posean, así se denominan: los de tres sílabas trisílabos, de cuatro tetrasílabos, de ocho octosílabos, de once endecasílabos… En la actualidad la mayoría de los poetas utilizamos versos libres, en los que no se tiene en consideración la métrica.

W DE WEB

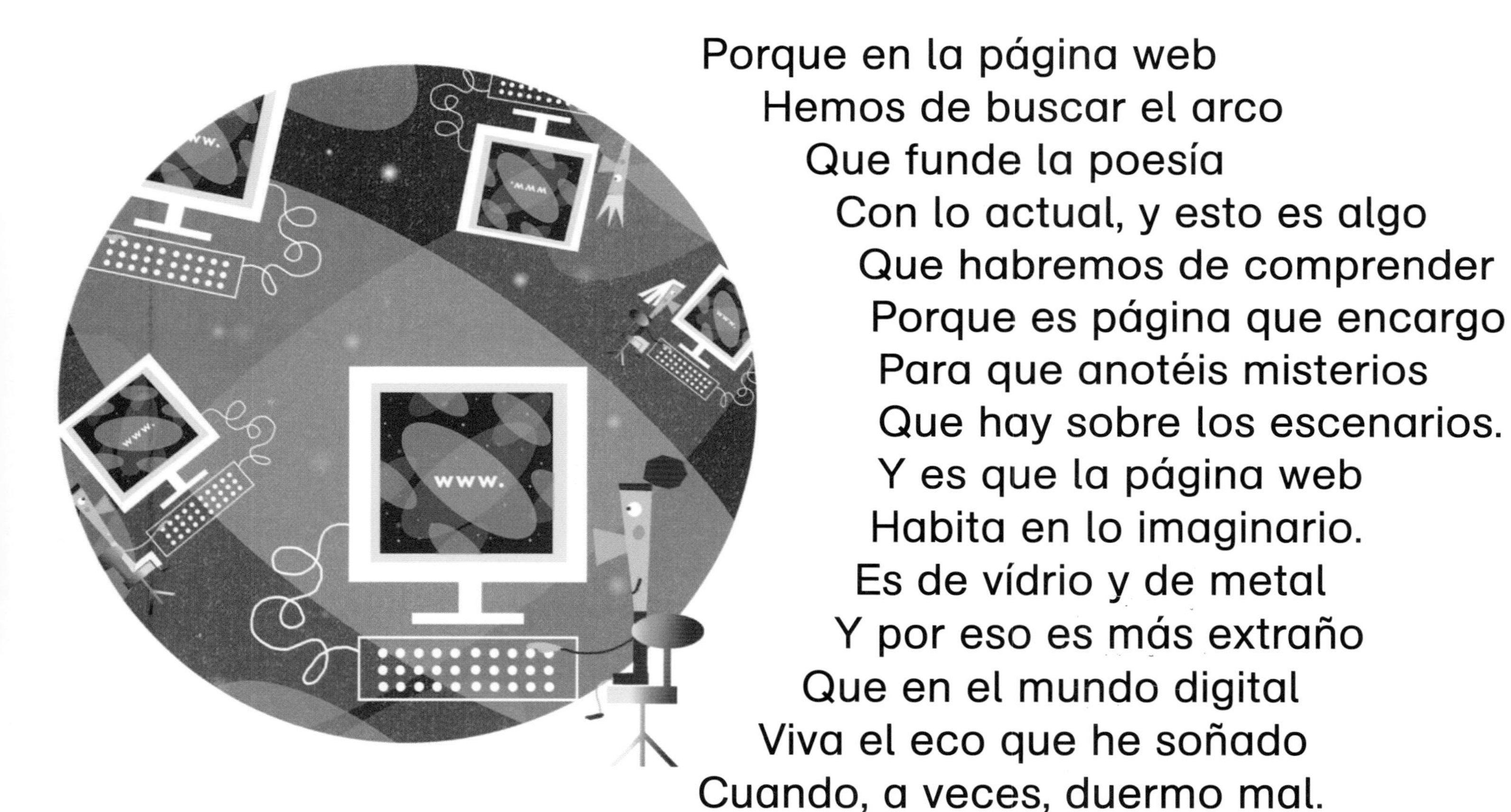

Porque en la página web
Hemos de buscar el arco
Que funde la poesía
Con lo actual, y esto es algo
Que habremos de comprender
Porque es página que encargo
Para que anotéis misterios
Que hay sobre los escenarios.
Y es que la página web
Habita en lo imaginario.
Es de vídrio y de metal
Y por eso es más extraño
Que en el mundo digital
Viva el eco que he soñado
Cuando, a veces, duermo mal.

Llamamos página web al documento electrónico, diseñado para internet. Estas páginas pueden contener información escrita o fotográfica.

X EN EX LIBRIS

El latín es la raíz
Del idioma castellano
Del francés, del mallorquín
Del catalán y el rumano,
Del gallego y portugués
Y también del italiano.
Los ex libris aún anotan
Con textos de los romanos.
Es por tanto indicación
Que revela al propietario
O a la biblioteca que
Pertenece tal breviario.

Ex libris es una locución latina que señalaba la propiedad de los libros de una biblioteca.

Y EN COPYRIGHT

Érase un libro muy viejo
De versos de Garcilaso
Y otro de Jorge Manrique
Y otro de Alfonso el Rey Sabio,
Ninguno de ellos tenía
El *copyright* señalado.

Pero los libros de ahora
Lo llevan todo anotado:
La fecha, la editorial
Y el autor junto a los datos
Del *copyright*, porque explica
De quién es ese trabajo,
A quién pertenece el texto
Y quién puede publicarlo.
El *copyright* es respeto
De ese libro que compramos.
Podemos leer el texto
Pero no fotocopiarlo.

El *copyright* © determina los derechos de una obra literaria. De ese modo los propietarios de un libro sabrán que lo han adquirido para leerlo y, en su lectura, disfrutarlo. Solo con permiso se podrán hacer copias de sus contenidos.

Z DE ZORRILLA

Ya recojo mi zurrón
Porque en estos aledaños
Donde la Z es final
De este viejo abecedario
He de repasar autores
Cuyos nombres recordamos,
Porque empiezan con la Z
Sus apellidos: Zambrano
María y también Zorrilla,
Famoso autor de teatro.
Ya recojo mi zurrón
Las zarandajas y zancos
Para zambullirme así
Donde acaba este relato.

También comienza con Z, la zorra de las uvas de la fábula versificada por Samaniego, en la que nos cuenta que tras intentar varias veces alcanzar unas uvas de una parra muy alta, termina diciendo: «No las quiero, no están maduras».